SOPA DE LIBROS

© Del texto: Pablo Albo, 2010
© De las ilustraciones: Miguel Ángel Díez, 2010
© De esta edición: Grupo Anaya, S. A., 2010
Juan Ignacio Luca de Tena, 15. 28027 Madrid
www.anayainfantilyjuvenil.com
e-mail: anayainfantilyjuvenil@anaya.es

1.ª edición, abril 2010
2.ª impresión, abril 2011

Diseño: Manuel Estrada

ISBN: 978-84-667-9304-9
Depósito legal: M-16002-2011

Impreso en ANZOS, S. L.
La Zarzuela, 6
Polígono Industrial Cordel de la Carrera
Fuenlabrada (Madrid)
Impreso en España - Printed in Spain

Las normas ortográficas seguidas en este libro son las establecidas por la
Real Academia Española en su edición de la *Ortografía* del año 1999.

Albo, Pablo
Debajo de la higuera no hay ningún tesoro / Pablo Albo ;
ilustraciones de Miguel Ángel Díez. — Madrid : Anaya, 2010
80 p. : il. c. ; 20 cm. — (Sopa de Libros ; 143)
ISBN 978-84-667-9304-9
1. Relación abuelos-nietos. 2. Aventuras. 3. Misterio. I. Díez,
Miguel Ángel, il.
087.5-821.134.2-3

# Debajo de la higuera
# no hay ningún tesoro

SOPA DE LIBROS

Pablo Albo

# Debajo de la higuera no hay ningún tesoro

Ilustraciones
de Miguel Ángel Díez

ANAYA

Cuando mi abuelo me da un beso me recuerda a las matas de pinchos que rodean su casa.

Él dice que vive en medio de un bosque. Es mentira. Lo que pasa es que no cuida el jardín. Bueno, no es un jardín. Lo único que crece por allí son matorrales silvestres.

La casa de mi abuelo parece una isla en medio de aquel mar de hierba.

No recuerdo cuál fue el motivo que me llevó aquella tarde a visitarle, pero sí que me sentía como una exploradora al verme con un palo abriéndome paso entre aquella maleza que empezaba a cubrir el camino.

A los saltamontes no les hacía ninguna gracia, pero era la única manera que tenía de pasar sin pincharme. Saltaban de un lado al otro del camino enfadados por mis golpes.

Yo los esquivaba diciendo:
«Perdón, señor saltamontes»;
«Disculpe, señora saltamontes,
debo pasar» (algún día te contaré
cómo distingo los saltamontes
macho de las hembras).

Cuando llegué a la puerta
llamé al timbre como si se
estuviera quemando el monte,
como si hubiera un terremoto,
como si me persiguieran los
perros salvajes de Mariano,
como una loca.

Cuando oí los quejidos de
las bisagras al empezar a abrirse
la puerta, me puse en alerta.

Sabía que mi abuelo intentaría darme un beso. Era difícil, pero a veces conseguía librarme. Esquivar a los saltamontes me había servido de entrenamiento.

Apareció mi abuelo. Su boca parecía una isla en medio de aquel mar de pelo pinchoso.

—¿Es que se está quemando el monte? ¿Es que hay un terremoto? ¿Es que se han escapado los perros de Mariano? ¿Te has vuelto loca? ¿No puedes tocar el timbre de otra manera? —dijo con su voz ronca.

Esquivé sus perdigones que se me venían encima como saltamontes y aproveché la bronca de mi abuelo para colarme en su casa librándome del beso.

Una vez dentro, para distraerle, empecé con nuestra conversación habitual.

—Hola, abuelo. ¿Cómo estás?

—¿Yo? Contento.

—¿Y tú por qué estás contento?

—Porque has venido a verme. ¿Y tú cómo estás?

—¿Yo? Contenta.

—¿Y tú por qué estás contenta?

—Yo estoy contenta porque tú estás contento de que haya venido a verte.

—¿Ah, sí?

—Sí.

—Pues yo estoy más contento.

—¿Tú, más contento, por qué?

—Yo estoy más contento porque tú estás contenta de que yo esté contento de que hayas venido a verme.

—¿Ah, sí?

—Sí.

—Pues entonces yo también estoy más contenta.

—¿Tú, por qué?

—Yo estoy más contenta de que tú estés más contento de que yo esté contenta de que tú estés contento porque he venido a verte.

—Pues me *alergo*.

Sí, dijo «me *alergo*»; es que a veces cambia las letras de sitio. Sobre todo las erres. Fue muy viajero y escuchó muchos idiomas. Siempre dice que las palabras se ríen de él y le salen de la boca como les da la gana.

—¿De qué te *alergas,* abuelo?

—Me *alergo* de que tú estés más contenta de que yo esté más

contento de que tú estés contenta
de que yo esté contento porque
has venido a verme.

—¿Ah, sí?

—Sí.

—Pues yo me *alergo* de que tú
te *alergues* de que yo esté más

contenta de que tú estés más
contento de que yo esté contenta
de que tú estés contento porque
he venido a verte.

En este punto mi abuelo
siempre se liaba. Sabía que no
era capaz de repetirlo. Y como
todos los adultos cuando se lían
te mandan a hacer algo... Ese día
mi abuelo me mandó a por
el pan. Concretamente dijo:

—¡Corre a por el pan!

Fue así como empezaron todos
los acontecimientos extraños y
las situaciones peligrosas en las
que me vi envuelta sin quererlo.

Fui a comprar el pan a la panadería.

En la panadería no estaba el panadero, no. Estaba la panadera.

La panadera se me quedó mirando fijamente a los ojos, agachó las cejas y me dijo:

—¿Qué quieres?

Yo, manteniendo la mirada y frunciendo el entrecejo (que es algo más fácil de hacer que de decir), le dije:

—Quiero pan.

En ese momento entró un sombrero en la panadería. Como te lo digo, un sombrero. Con un señor debajo, claro. Si no llevan una persona debajo, los sombreros no van a ninguna parte. El señor de debajo del sombrero se me quedó mirando y dijo:

—¡Tú eres la nieta del pirata!

Yo iba a decirle que se equivocaba, pero escuché la voz de la panadera que le respondía:

—Sí, esa chica es nieta de Vicente, el pirata.

Cogí las dos barras y salí
corriendo hacia la casa de mi
abuelo para pedirle explicaciones.
Empezaron a gritar en la
panadería, pero no hice caso.

Cuanto más gritaban, más corría yo, y cuanto más corría, más gritaban ellos (semanas más tarde me enteré de que gritaban porque me había ido sin pagar).

Llegué enseguida al caminillo que atravesaba el bosque de malas hierbas. Y, apartando la maleza y esquivando de nuevo a los saltamontes, entré en la casa con el pan.

—Abuelo, ¿es verdad que eres un pirata? —le pregunté cuando abrió la puerta.

Cuando mi abuelo se pone nervioso le tiembla la voz y se le levantan las cejas.

—No, yo no soy pirata. ¿Quién te ha dicho eso? —respondió con la voz temblorosa y las cejas levantadísimas.

—Eso no importa —clavé mi mirada directamente en sus ojos—. ¿Seguro que no es verdad? —añadí.

—No, mujer, ¿cómo va a ser verdad?

—Y entonces, si no eres pirata, ¿por qué me lo han dicho en la panadería?

—Bueno, me llaman «el pirata» en el pueblo, pero eso son motes que pone la gente. Si yo fuera pirata, en lugar de esta pierna que ves aquí, tendría una pata de palo, ¿no?

Con cada golpe que se daba en la pierna para demostrarme que no era de madera, hacía saltar una nubecilla de polvo de sus gastados pantalones de cuadros rojos.

—Cierto.

—Y no usaría gafas, sino un parche en el ojo.

—De acuerdo.

—Y llevaría un loro aquí en el hombro. ¿Tú ves aquí algo? —me señalaba su hombro izquierdo.

—Hombre, veo mucha caspa, pero loros es verdad que no hay ninguno.

—Además, Paula —dijo entornando un poco los ojos—, yo no puedo ser pirata porque no hay ningún pirata que se precie que no tenga su mapa del tesoro y yo no lo tengo.

—Pues mira, de que no tengas pata de palo ni parche, casi que me alegro. Pero lo del mapa sí que es una pena. Si lo tuvieras querría decir que posees un tesoro y eso estaría chulo.

—Mujer, mapa no, pero tesoro sí que tengo.

—Abuelo, ¿qué me estás diciendo, que tienes un tesoro?

—Sí.

—Bueno, pero si no tienes mapa, no sabes dónde está.

—¿Cómo que no? Yo sé perfectamente dónde está mi tesoro, lo que no sé es dónde está el mapa.

Se me pusieron los pelos de punta, la voz empezó a temblarme y se me levantaron las cejas (cosas de familia).

—¿Qué me estás diciendo, abuelo, que tienes un tesoro y sabes dónde está?

—Que sí, mujer. Mira, tú sales
por la puerta de la casa y debajo
de la higuera...

Mi abuelo siguió hablando,
pero yo salí corriendo.

La higuera es la única especie vegetal reconocible en los alrededores de la casa. En los tiempos de esplendor del jardín, hubo también un ciruelo, pero le cayó un rayo y lo quemó.

Llegué a la higuera pelada y tiesa. Un árbol alto y viejo que sobresale sobre la hierba como si fuera el mástil del barco en el que naufragó mi abuelo y con el que llegó a su isla-casa.

Apoyada en el tronco había
una pala oxidada e igual de vieja
que la higuera. Empecé a cavar,
apartando primero la capa de
hojas secas de higuera que, con el
tiempo y la dejadez de mi abuelo,
se habían acumulado debajo del

árbol.

Soplaba una ligera brisa, como
si el viento quisiera echar una
mano en la ingrata faena
de cavar.

Y cavé... y cavé... y cavé...
Encontré ratones, lagartijas,
conchas de caracol, una canica...
Pero allí no había ningún tesoro.

Dejé la pala. Cansada y
decepcionada, volví a la casa.

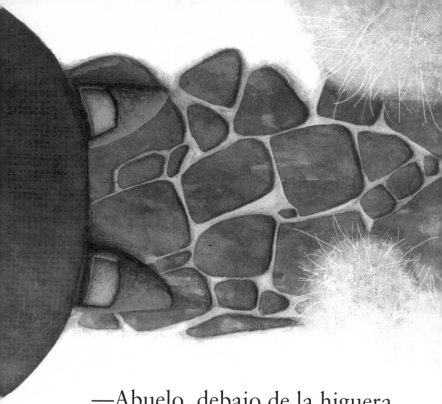

—Abuelo, debajo de la higuera
no hay ningún tesoro.

—Ya lo sé, es que te has ido
corriendo y no me has dejado
terminar. Debajo de la higuera
empieza el camino de piedra que
lleva al tronco del ciruelo que se
quemó...

Salí de nuevo de la casa y llegué
a la higuera. Tuve que arrancar

bastantes matas secas hasta dar
con el camino empedrado que
decía mi abuelo. Cuando lo
encontré, empecé a caminar
por él. Usaba la pala a modo
de machete para abrirme paso
entre las matas que, por tramos,
llegaban a taparlo.

Al final del camino no estaba
el ciruelo. No sé si recuerdas que
lo quemó un rayo años atrás.
Lo que sí estaba era el tronco
calcinado.

Yo empecé a cavar por un lado
y por otro, llevando cuidado de

no pisar una fila de hormigas que
parecía salir del mismo tronco.

Cuando me cansé de cavar,
había encontrado un botón
dorado de una chaqueta de
marinero, dos canicas más,
un trozo de cristal violeta y un
tapón de corcho. Pero allí no
había ningún tesoro.

Dejé la pala y volví con mi
abuelo dejando a un lado la
higuera.

—Abuelo, que debajo del tronco del ciruelo que se quemó tampoco hay ningún tesoro.

No lo podría asegurar, pero me pareció que mi abuelo aguantaba una sonrisa burlona que no terminaba de dibujársele en la cara porque él se contenía.

—Ya lo sé, ya lo sé. Es que no me has dejado terminar. Debajo del tronco sale una fila de hormigas que lleva hasta el...

Salí corriendo. Llegué a la higuera, de ahí al camino empedrado que llevaba al tronco, y seguí la fila de hormigas...

Seguí la fila de las hormigas que se alejaba hacia la parte de atrás de la casa. Yo nunca había estado por allí. Tras caminar largo rato por aquel territorio inexplorado y desconocido, llegué hasta el hormiguero. Empecé a cavar en el hormiguero levantando la tierra por aquí y por allá. Algunas hormigas también salían despedidas y me gritaban en su idioma secreto cosas que ahora no puedo repetir.

Tesoro no había ninguno. Volví.

—Abuelo, quiero que sepas una cosa, que la fila de las hormigas lleva hasta el hormiguero.

—Vaya novedad, eso ya lo sabía. Ha sido así toda la vida —aquí dejó ver una sonrisa

amplia.

—Ya, pero allí no hay ningún tesoro.

—Ya lo sé, es que no me has dejado terminar. Cuando llegues al hormiguero debes derramar tres lágrimas de *crocodilo* y dejar que todo siga su curso.

No entendí qué era aquello de derramar lágrimas de *crocodilo*... ni de cocodrilo, pero eché a andar a ver si, por

el camino, se me ocurría cómo
hacerlo.

Pasé al lado de la higuera...

Cuando llegué al hormiguero, el panorama era desolador. Habían estado cavando en el hormiguero. Se me encogió el corazón al ver cómo les habían destrozado la casa a las pobres hormigas y, sin querer, me cayó una lagrimilla, y luego otra, y luego una tercera... Eran lágrimas de cocodrilo porque, en el fondo, sabía perfectamente quién había estado cavando y destrozándolo todo: yo (espero que algún día me perdonen).

Mis tres lágrimas de cocodrilo se unieron en el suelo formando una gota más grande que se deslizó por el desnivel del terreno hasta colarse por un agujerillo.

Entonces, empecé a cavar y a la tercera palada se oyó el sonido que produce el metal de una pala cuando choca contra una botellita de cristal azul.

Aparté la tierra y encontré una botellita azul de un precioso

cristal tallado. Tenía un tapón de corcho y una etiqueta que decía:

*Dentro de esta botella, están contenidas todas las* tromentas *de los mares del sur. No la abras nunca. NUNCA.*

Yo pensé: «No la abras nunca. Eso es que hay algo interesante dentro. Si alguien esconde algo valioso no va a poner: Aquí está el *tresoro*. Abre la botella y lo encontrarás».

Dentro de esta botella,
están contenidas todas
las tromentas de los mares
del sur. No la abras nunca.

NUNCA

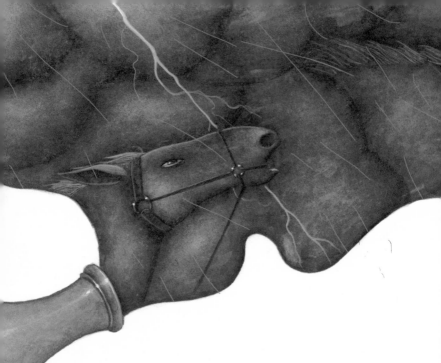

Agarré fuerte la botella con una mano, y con la otra tiré del tapón de corcho hacia arriba. No sabía lo que iba a pasar, si lo hubiera sabido quizá no lo habría hecho... o tal vez sí.

En el momento que saltó el tapón, se oyó un fuerte trueno, como una explosión, como un rugido. Y empezaron a salir todas las tormentas que

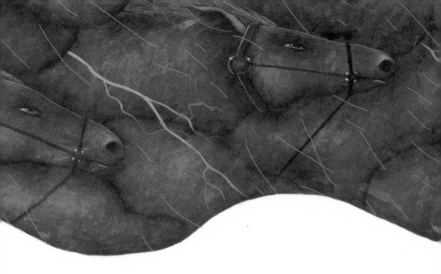

imaginarse pueda: tempestades
de lluvias feroces, relámpagos
enormes, devastadores vientos
huracanados, olas gigantescas,
rayos y truenos, salieron de la
botellita.

No me habría preocupado si no
hubieran venido directamente
hacia mí. Tampoco me hubiera
preocupado si, cuando eché a
correr, no me hubieran
perseguido, pero lo hicieron.

Y yo corría y corría, para que
las olas no me ahogaran, ni los
vientos me llevaran, ni los rayos
me chamuscaran.

De pronto, encontré mi camino
cortado por un precipicio y no
seguí corriendo para no caer en
él y matarme. Al lado había un
puente y decidí atravesarlo. Pero

el puente estaba demasiado viejo,
y a medida que yo pisaba se iba
rompiendo y me iba salvando por
los pelos. Y por los pelos llegué
al otro lado, justo cuando el
puente terminaba de hundirse.
Las tormentas no pudieron pasar
el precipicio y me salvé.

Estaba salvada, pero también perdida. Miré a mi alrededor y no tenía ni idea de dónde me encontraba. No podía volver por el mismo sitio porque el puente había desaparecido en la profundidad del precipicio y las tormentas me esperaban al otro lado. Pero tampoco podía echar a andar por otro camino porque no sabía dónde me encontraba. Además, estaba anocheciendo.

La situación era desesperada. No me importa decir que me sentí agobiada y que me entraron ganas de llorar. Angustiada, me

senté sobre lo que parecía ser
una roca junto a la pared trasera
de una casa.

La pared era una pared, pero la roca no era una roca. Al rato de estar allí sentada, pensando, sin saber qué hacer, me di cuenta de que, en realidad, me había sentado encima de un cofre semienterrado. Un cofre que tenía el color de un cofre del tesoro, olía como un cofre del tesoro y tenía un candado gordo de esos que suele tener un cofre del tesoro.

La pala ya no la llevaba. ¿Tú llevarías algo en la mano que te molesta al correr cuando te persiguen todas las tormentas de los mares del sur? Pues eso, la había tirado hacía ya un rato para correr más rápido.

Con las manos y mis últimas
fuerzas escarbé alrededor del
cofre. Cuando ya casi no me
quedaban uñas, me di cuenta
de que estaba haciendo el tonto.
Para conseguir el tesoro no era
necesario terminar de desenterrar
el cofre. Con abrir el candado era
suficiente.

Al mirarlo bien, comprendí que
el candado era realmente gordo
y yo no tenía ni idea de dónde
podría estar la llave. Pensé:
«¡Ojalá se abriera!», y se abrió.
Ese candado no se abría con una
llave, se abría con un deseo.
Levanté la tapa del cofre
y vi el tesoro de mi abuelo.

En el cofre no había coronas
de oro, ni monedas de plata,
ni collares de perlas, ni piedras
preciosas. No. Aquel era el tesoro
de mi abuelo. En el interior del
cofre había algo más valioso
para él. Allí estaba su mapa del

tesoro. El mapa que conducía
al cofre que yo acababa de
desenterrar y abrir. Hasta
ese momento no se me habría
ocurrido pensar que un mapa
pudiera ser un tesoro.

Al mirarlo comprendí algo
importante: los mapas no sirven
solo para ir a los sitios. También
sirven para volver. Allí estaba
el recorrido que había hecho,
dibujado con todo lujo de

detalles: la higuera, el tronco
del ciruelo, el hormiguero,
la botellita con las tormentas,
el precipicio con el puente
y el cofre.

Entonces me di cuenta de que era un gran círculo. Había dado una vuelta grande para volver al mismo sitio, a la casa de mi abuelo, aunque por la parte de atrás, un lugar donde nunca antes había estado. Solo tenía que doblar la esquina para volver con mi abuelo.

Mi abuelo estaba en la puerta de la casa, esperando. Se le veía preocupado, y no me extrañó, porque ya había oscurecido. Cuando me vio se alegró mucho, pero cuando se fijó en el mapa que yo llevaba en la mano, se le pusieron los ojos como platos, se le quebró la voz y se le levantaron las cejas, es decir, se puso muy nervioso.

—¡Mi mapa! ¡Paula, has encontrado mi mapa del tesoro! Gracias, ningún pirata es un verdadero pirata si no tiene su mapa del tesoro. Muchas gracias...

Me dio un beso pinchoso que
me supo a gloria, y mientras
entraba a la casa dándome las
gracias, pasó algo... no sé. Lo
que voy a contar ahora no estoy
segura de que sea cierto. Diré
lo que a mí me pareció. Cada
cual que saque sus
conclusiones.

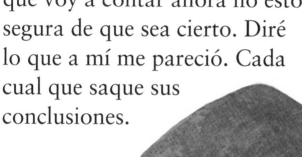

Me pareció que la pierna derecha de mi abuelo, al dar los pasos, hacía «tac, tac», como un palo de madera al golpear en el suelo. Y cuando volvió la cabeza para darme las gracias una vez más, pude ver cómo uno de los cristales de sus gafas se había empañado. Solo uno. Como si fuera una especie de parche. Y lo más extraño de todo: había una sombra en su hombro izquierdo y oí perfectamente el graznido de un pájaro exótico.

Entonces lo entendí todo. Comprendí perfectamente, en ese preciso momento, que colorín colorado, esta historia se ha acabado.

Escribieron y dibujaron…

# Pablo
# Albo

© Nuria Pérez

—*Pablo Albo es cuenta-* *cuentos y ha publicado más de una veintena de libros infantiles. ¿Qué le atrae de la literatura infantil?*

—Me apasiona la literatura infantil. Leo libros infantiles todo el rato. En las librerías se sorprenden cuando les digo que no me los envuelvan, que no son para regalo, que son para mí, pero sé que no soy el único. En la biblioteca de Albacete participo en un club de lectura de adultos en el que leemos libros infantiles. Se llama Pomelo. Por supuesto, muchísimos libros infantiles no me dicen nada, me aburren o me molestan queriendo convencerme de cosas. Pero de vez en cuando encuentro una historia sencilla, aparentemente poca cosa, ilustrada con acierto, y me digo «¡Mira qué cosa!»; o me topo con un libro de aventuras ingenioso que me sorprende, y me digo «¡Mira tú!». Creo que la literatura infantil es una actividad artística de primer orden.

—*¿Por qué decidió empezar a escribir para niños?*

—Empecé a inventar cuentos infantiles con la idea de contarlos de viva voz. Algunos no me servían porque tenían... no sé, otro ritmo, requerían otro sosiego. Como no me valían para ser contados me parecía que me habían salido mal. Yo no los tiraba, los dejaba guardados en una carpeta. Años después empecé a leerlos y me dije: ¡Bueno, parece que leído es otra cosa!

—*Usted es narrador oral y tiene un repertorio muy interesante de espectáculos para niños, jóvenes y adultos. ¿Cómo le influye esa faceta cuando después decide sentarse a escribir?*

—La oralidad y los libros son dos maneras igual de válidas de transmitir las historias. Es tan enriquecedor escuchar un cuento como leerlo, estoy convencido. Sin embargo, hay que tener en cuenta que quien lee un relato no tiene el contacto personal con la persona que lo escribió, se pierde la entonación de su voz, la expresión de su cara. Y quien escucha no puede pararse a releer algo que no haya entendido y la historia debe ser sencilla pero no simple. Hay cuentos que he contado mil veces que nunca estarán en un libro porque no quedan bien por escrito y cuentos que están escritos que no contaré nunca. Otros van por aire y por papel. *Debajo de la higuera no hay ningún tesoro* es de estos últimos. Lo he contado muchas veces y sigo haciéndolo. Si alguien que ha leído este libro me lo escucha contar lo notará diferente, pero lo reconocerá. Me gusta que sea así, cada historia tiene su sitio.

—*En el libro, Paula va a visitar a su abuelo, que la embarca en una apasionante aventura. Los abuelos son familiares que influyen mucho en los niños y en algunos casos trazan quiénes serán de adultos. ¿Es este cuento un homenaje a esos abuelos? ¿Está el abuelo Vicente inspirado en sus propios abuelos?*

—Bueno, un poco. Uno de mis abuelos se llamaba Vicente... Pero era más limpio y no pinchaba cuando me daba un beso. Pero sí merecía un homenaje porque me habló de la tierra de Jauja cuando yo era niño y todavía ando buscándola. Sé que no existe, pero así me entretengo. Aunque era un buen pescador, nunca me llevó en su barca ni me enseñó los nombres de los peces. Creo que, como venganza, el abuelo de este libro me ha salido un poco desgreñado.

—*Miguel Ángel Díez ya ha ilustrado otros libros suyos, pero dígame, ¿qué le han parecido las ilustraciones que ha creado para* Debajo de la higuera no hay ningún tesoro?

—Miguel Ángel es una máquina. Le gusta dibujar a lo grande y yo disfruto viendo su trabajo y le digo: «¡Miguel, qué maravilla!». Se lo digo con envidia porque sé que nunca podré dibujar así, creo que se me nota en la voz, pero él me perdona por su natural saber estar. Creo que es buena persona. Me encanta ver como su imaginación siempre va más lejos que la mía y así descubro cosas nuevas de las historias. Es como si él pudiera estar en persona en los escenarios de los cuentos, conocer a los personajes y luego dibujarlos.

# Miguel Ángel Díez

—*Miguel Ángel Díez nació en Aspe, Alicante, en 1973. Se define como un ilustrador autodidacta y sus primeros trabajos aparecieron publicados en 2007. ¿Qué es lo que más le gusta de su labor de ilustrador?*

—Dar rienda suelta a la imaginación. De pequeño, como niño algo introvertido que era, las historias, los mundos fantásticos... se me agolpaban en la cabeza; historias de caballeros «matadragones» o aventuras con superhéroes de cómic. Como tenía que sacarlos de allí y guardarlos en algún sitio, que mejor que dibujarlos en un papel. Los papeles son finos y fáciles de apilar (aunque yo siempre he sido un poco desordenado y los olvido en cualquier lugar).

—*En los libros infantiles gran parte del peso del libro lo soportan las ilustraciones. ¿Cómo organiza su trabajo tras recibir el texto original?*

—Primero necesito apropiarme del texto, convertirlo en algo mío, para ello recreo la historia mentalmente y a mi gusto, dejando crecer los detalles que me parecen más interesantes. Esto me resulta fácil, aunque a veces a las nuevas ideas les de por dar bandazos y marearme. Después tan solo hay que plasmarlo en un papel. Por otro lado, aunque no es una norma, puedo discutir el trabajo con el escritor. En este libro, varios comentarios de Pablo han servido para mejorar los dibujos (pero no se lo digas porque enseguida se le sube a la cabeza).

—*¿Qué consejos le daría a alguien que quiere empezar en esto de la ilustración?*

—He recibido muchos consejos útiles, pero solo hay uno que considero fundamental: nunca dejes de considerar tu trabajo como un juego y de divertirte con él o perderá su magia. Los trabajos creativos necesitan respirar.

SOPA DE LIBROS

## OTROS TÍTULOS PUBLICADOS
## A PARTIR DE 6 AÑOS

### UN TREN CARGADO DE MISTERIOS
*Agustín Fernández Paz*

Desde la ventana de su cuarto, Ana ve pasar el tren
todos los días. Un tren que nunca para, porque
donde la niña vive no hay estación. Pero un día,
el tren se detiene junto a la casa y Ana recibe
la invitación de subir. Así, descubre que se trata
de un tren muy especial: recorrerá países de todo
el mundo, y además tendrá que resolver el misterio
que encierran siete enigmáticas cajas azules.

### ALGUNOS MIEDOS
*Ana María Machado*

Al hombre del saco, a la bruja y su caldero, al
gigante que se come a los niños o al lobo... ¿quién
no ha tenido miedo a alguno de ellos? Hasta los
mayores, tan valientes para muchas cosas, sienten
miedo, aunque sea de una pequeña lagartija.

## MARCIAL MILPIÉS
### *Mick Fitzmaurice*

El sueño del joven Marcial Milpiés es llegar a ser algún día un gran bailarín, pero en casa se ríen de él. ¿Cómo se puede bailar con ochenta y cuatro pies? Sin embargo, Marcial hace todo lo posible por formar parte de la compañía de la famosa bailarina *madame* Araña Tejedora. ¿Conseguirá que su sueño se haga realidad?


## LA HISTORIA DE TAPANI
### *Marjaleena Lembcke*

Tapani, un niño finlandés, encuentra en la playa un patito rojo con una nota y la dirección del señor Frisch. Tras ese hallazgo, se cumplen algunos de los deseos de Tapani, así que escribe una carta al señor Frisch para darle las gracias, pues el patito le ha traído suerte. ¿Cambiará la vida del señor Frisch cuando reciba el mensaje?

## GATO NEGRO GATO BLANCO
*Andrés Guerrero*

Gato Negro no tiene nombre ni dueño, es aventurero, valiente y ágil, caza para alimentarse y es muy solitario. Gato Blanco tiene nombre y dueño, es muy casero, temeroso y torpe, no sabe cazar y vive siempre acompañado. Un día, Gato Blanco ve a Gato Negro y siente curiosidad. Desde ese encuentro sus vidas cambiarán.

## NINGÚN BESO PARA MAMÁ
*Tomi Ungerer*

A Toni Zarpas no le gustan los besos, y Mamá Zarpas no lo entiende. Ella lo trata como si fuera un bebé, y Toni no lo soporta, pues él es el gato más travieso de la clase, quien más disfruta con las bromas pesadas, y jamás rechaza una pelea. Pero un día todo cambia y, aunque no habrá besos para mamá, los dos conseguirán algo mucho más importante.

## LA AVENTURA FORMIDABLE
## DEL HOMBRECILLO INDOMABLE
*Hans Traxler*

«Un hombrecillo, un verano, encontró una exponja a mano...». Así, sin pena ni gloria, comienza la extraña historia que le sucedió a un buen hombre, sin gloria, pena, ni nombre.

## EL LIBRO DE LOS HECHIZOS
*Cecilia Pisos*

Hechizo para que leas este libro:
Le das la vuelta y lo abres,
y buscas lugar secreto
para probar sus hechizos.
¿Si funciona? Lo prometo.

## MARCELA EN NAVIDAD
*Ana García Castellano*

Es Navidad y Marcela disfruta de estos días especiales. Se disfraza de pastorcilla, le enseña el belén a sus primos, celebra la Nochebuena en familia... Pero ¿qué ocurrirá cuando Marcela se pierda en medio de la ciudad?

## ÓSCAR Y EL RÍO AMAZONAS
*Vicente Muñoz Puelles*

Nadar y leer son dos cosas muy difíciles de aprender. Da mucho miedo meterse en la piscina cuando no se hace pie o abrir un libro lleno de palabras incomprensibles. Óscar necesita ayuda para divertirse en el agua y para leer un libro de mayores, pero llegará un día en el que los brazos y las piernas se moverán al ritmo adecuado y las frases, por fin, tendrán sentido.